THIS

Planner

BELONGS TO:

_____

Personal Information

Name: _____

Address: _____

City: _____ State: _____

Phone: _____

Email: _____

Emergency Contacts

Name: _____ Name: _____

Relationship: _____ Relationship: _____

Phone: _____ Phone: _____

Email: _____ Email: _____

Doctor: _____ Doctor: _____

Phone: _____ Phone: _____

Email: _____ Email: _____

Other:

_____

_____

_____

_____

Year in Review

January 2024

S	M	T	W	T	F	S
	1	2	3	4	5	6
7	8	9	10	11	12	13
14	15	16	17	18	19	20
21	22	23	24	25	26	27
28	29	30	31			

◑:3 ●:11 ◐:17 ○:25

February 2024

S	M	T	W	T	F	S
				1	2	3
4	5	6	7	8	9	10
11	12	13	14	15	16	17
18	19	20	21	22	23	24
25	26	27	28	29		

◑:2 ●:9 ◐:16 ○:24

March 2024

S	M	T	W	T	F	S
					1	2
3	4	5	6	7	8	9
10	11	12	13	14	15	16
17	18	19	20	21	22	23
24	25	26	27	28	29	30
31						

◑:3 ●:10 ◐:17 ○:25

April 2024

S	M	T	W	T	F	S
	1	2	3	4	5	6
7	8	9	10	11	12	13
14	15	16	17	18	19	20
21	22	23	24	25	26	27
28	29	30				

◑:1 ●:8 ◐:15 ○:23

May 2024

S	M	T	W	T	F	S
			1	2	3	4
5	6	7	8	9	10	11
12	13	14	15	16	17	18
19	20	21	22	23	24	25
26	27	28	29	30	31	

◑:1 ●:7 ◐:15 ○:23 ◑:30

June 2024

S	M	T	W	T	F	S
						1
2	3	4	5	6	7	8
9	10	11	12	13	14	15
16	17	18	19	20	21	22
23	24	25	26	27	28	29
30						

●:6 ◐:14 ○:21 ◑:28

July 2024

S	M	T	W	T	F	S
	1	2	3	4	5	6
7	8	9	10	11	12	13
14	15	16	17	18	19	20
21	22	23	24	25	26	27
28	29	30	31			

●:5 ◐:13 ○:21 ◑:27

August 2024

S	M	T	W	T	F	S
				1	2	3
4	5	6	7	8	9	10
11	12	13	14	15	16	17
18	19	20	21	22	23	24
25	26	27	28	29	30	31

●:4 ◐:12 ○:19 ◑:26

September 2024

S	M	T	W	T	F	S
1	2	3	4	5	6	7
8	9	10	11	12	13	14
15	16	17	18	19	20	21
22	23	24	25	26	27	28
29	30					

●:2 ◐:11 ○:17 ◑:24

October 2024

S	M	T	W	T	F	S
		1	2	3	4	5
6	7	8	9	10	11	12
13	14	15	16	17	18	19
20	21	22	23	24	25	26
27	28	29	30	31		

●:2 ◐:10 ○:17 ◑:24

November 2024

S	M	T	W	T	F	S
					1	2
3	4	5	6	7	8	9
10	11	12	13	14	15	16
17	18	19	20	21	22	23
24	25	26	27	28	29	30

●:1 ◐:9 ○:15 ◑:22

December 2024

S	M	T	W	T	F	S
1	2	3	4	5	6	7
8	9	10	11	12	13	14
15	16	17	18	19	20	21
22	23	24	25	26	27	28
29	30	31				

●:1 ◐:8 ○:15 ◑:22 ●:30

Holidays & Celebrations

Jan 1	New Year's Day	May 1	First Day of Military Appreciation Month	Sep 8	National Grandparents Day
Jan 13	Stephen Foster Memorial Day	May 1	Law Day	Sep 11	Patriot Day
Jan 15	Martin Luther King Jr. Day	May 1	Loyalty Day	Sep 15	First Day of National Hispanic Heritage Month
Feb 1	First Day of Black History Month	May 2	National Day of Prayer		
		May 5	Cinco de Mayo	Sep 16	The Prophet's Birthday
Feb 1	National Freedom Day	May 8	Victory in Europe Day	Sep 17	Constitution Day and Citizenship Day
Feb 2	Groundhog Day	May 12	Mother's Day		
Feb 7	Isra and Mi'raj	May 15	Peace Officers Memorial Day	Sep 20	National POW/MIA Recognition Day
Feb 7	National Girls and Women in Sports Day				
		May 17	National Defense Transportation Day	Sep 28	National Public Lands Day
Feb 10	Lunar New Year				
Feb 13	Shrove Tuesday/Mardi Gras	May 18	Armed Forces Day	Sep 29	Gold Star Mother's Day
		May 22	National Maritime Day	Oct 3	Navratri
Feb 14	Valentine's Day	May 27	Memorial Day	Oct 3	Rosh Hashana
Feb 19	Presidents' Day	Jun 1	First Day of Caribbean-American Heritage Month	Oct 6	German American Day
Mar 1	First Day of Irish American Heritage Month			Oct 7	Child Health Day
		Jun 1	First Day of Pride Month	Oct 12	Dussehra
Mar 1	First Day of Women's History Month	Jun 6	D-Day	Oct 12	Yom Kippur
		Jun 12	Loving Day	Oct 14	Columbus Day
Mar 8	Maha Shivaratri	Jun 14	Flag Day	Oct 15	White Cane Safety Day
Mar 11	First Day of Ramadan	Jun 16	Father's Day	Oct 23	Last Day of Sukkot
Mar 17	St. Patrick's Day	Jun 17	Eid al-Adha	Oct 31	Diwali/Deepavali
Mar 25	Holi	Jun 19	Juneteenth	Oct 31	Halloween
Mar 29	Good Friday (Many regions)	Jun 19	Juneteenth (West Virginia)	Nov 1	First Day of Native American Heritage Month
		Jun 19	Juneteenth Independence Day		
Mar 29	National Vietnam War Veterans Day			Nov 5	Election Day
		Jun 20	American Eagle Day	Nov 11	Veterans Day
Mar 30	Doctors' Day	Jul 4	Independence Day	Nov 28	Thanksgiving Day
Mar 31	Easter Sunday	Jul 8	Muharram	Nov 29	Black Friday
Apr 1	Easter Monday	Jul 17	Ashura	Nov 29	Native American Heritage Day
Apr 5	Lailat al-Qadr	Jul 27	National Korean War Veterans Armistice Day		
Apr 10	Eid al-Fitr			Dec 2	Cyber Monday
Apr 13	Thomas Jefferson's Birthday			Dec 7	Pearl Harbor Remembrance Day
		Jul 28	Parents' Day		
Apr 15	Tax Day	Aug 7	Purple Heart Day	Dec 15	Bill of Rights Day
Apr 22	Passover Eve	Aug 19	National Aviation Day	Dec 17	Pan American Aviation Day
Apr 23	Passover (first day)	Aug 19	Raksha Bandhan		
Apr 25	Take our Daughters and Sons to Work Day	Sep 2	Labor Day	Dec 17	Wright Brothers Day
		Sep 6	Ganesh Chaturthi	Dec 24	Christmas Eve
Apr 30	Last Day of Passover			Dec 25	Christmas Day
May 1	First Day of Asian Pacific American Heritage Month	Sep 7	Carl Garner Federal Lands Cleanup Day	Dec 25	Christmas Day (All)
				Dec 26	Chanukah/Hanukkah (first day)
May 1	First Day of Jewish American Heritage Month			Dec 31	New Year's Eve

Important Dates

January 2024

_____ _____
_____ _____
_____ _____
_____ _____
_____ _____
_____ _____

February 2024

_____ _____
_____ _____
_____ _____
_____ _____
_____ _____
_____ _____

March 2024

_____ _____
_____ _____
_____ _____
_____ _____
_____ _____
_____ _____

April 2024

_____ _____
_____ _____
_____ _____
_____ _____
_____ _____
_____ _____

May 2024

_____ _____
_____ _____
_____ _____
_____ _____
_____ _____
_____ _____

June 2024

_____ _____
_____ _____
_____ _____
_____ _____
_____ _____
_____ _____

July 2024

_____ _____
_____ _____
_____ _____
_____ _____
_____ _____
_____ _____

August 2024

_____ _____
_____ _____
_____ _____
_____ _____
_____ _____
_____ _____

September 2024

_____ _____
_____ _____
_____ _____
_____ _____
_____ _____
_____ _____

October 2024

_____ _____
_____ _____
_____ _____
_____ _____
_____ _____
_____ _____

November 2024

_____ _____
_____ _____
_____ _____
_____ _____
_____ _____
_____ _____

December 2024

_____ _____
_____ _____
_____ _____
_____ _____
_____ _____
_____ _____

January 2024

Sunday	Monday	Tuesday	Wednesday
	1 New Year's Day	2	3
7	8	9	10
14	15 Martin Luther King Jr. Day	16	17
21	22	23	24
28	29	30	31

" Our greatest ability as humans is not to change the world,
but to change ourselves. "   - Mahatma Gandhi

Thursday	Friday	Saturday
4	5	6
11	12	13
18	19	20
25	26	27

NOTES

_____
_____
_____
_____
_____
_____
_____
_____
_____
_____

December 2023

S	M	T	W	T	F	S
					1	2
3	4	5	6	7	8	9
10	11	12	13	14	15	16
17	18	19	20	21	22	23
24	25	26	27	28	29	30
31						

February 2024

S	M	T	W	T	F	S
				1	2	3
4	5	6	7	8	9	10
11	12	13	14	15	16	17
18	19	20	21	22	23	24
25	26	27	28	29		

February 2024

Sunday	Monday	Tuesday	Wednesday
4	5	6	7
11	12	13	14 Valentine's Day
18	19 President's Day	20	21
25	26	27	28

" Sing like no one's listening, love like you've never been hurt, dance like nobody's watching, and live like it's heaven on earth."   - Mark Twain

Thursday	Friday	Saturday
1	2	3
8	9	10
15	16	17
22	23	24
29		

NOTES

_____
_____
_____
_____
_____
_____
_____
_____
_____
_____
_____
_____

January 2024

S	M	T	W	T	F	S
	1	2	3	4	5	6
7	8	9	10	11	12	13
14	15	16	17	18	19	20
21	22	23	24	25	26	27
28	29	30	31			

March 2024

S	M	T	W	T	F	S
					1	2
3	4	5	6	7	8	9
10	11	12	13	14	15	16
17	18	19	20	21	22	23
24	25	26	27	28	29	30
31						

March 2024

Sunday	Monday	Tuesday	Wednesday
3	4	5	6
10	11	12	13
17	18	19	20
St Patrick's Day 24 / Easter Sunday 31	25	26	27

" Change is never painful, only the resistance to change is painful."
- Buddha

Thursday	Friday	Saturday
	1	2
7	8	9
14	15	16
21	22	23
28	29	30

NOTES

_____
_____
_____
_____
_____
_____
_____
_____
_____
_____
_____
_____

February 2024

S	M	T	W	T	F	S
				1	2	3
4	5	6	7	8	9	10
11	12	13	14	15	16	17
18	19	20	21	22	23	24
25	26	27	28	29		

April 2024

S	M	T	W	T	F	S
	1	2	3	4	5	6
7	8	9	10	11	12	13
14	15	16	17	18	19	20
21	22	23	24	25	26	27
28	29	30				

April 2024

Sunday	Monday	Tuesday	Wednesday
	1	2	3
7	8	9	10
14	15 Tax day	16	17
21	22	23	24
28	29	30	

" We fear the future because we are wasting today."
- Mother Teresa

Thursday	Friday	Saturday
4	5	6
11	12	13
18	19	20
25	26	27

NOTES

_____
_____
_____
_____
_____
_____
_____
_____
_____
_____
_____
_____

March 2024

S	M	T	W	T	F	S
					1	2
3	4	5	6	7	8	9
10	11	12	13	14	15	16
17	18	19	20	21	22	23
24	25	26	27	28	29	30
31						

May 2024

S	M	T	W	T	F	S
			1	2	3	4
5	6	7	8	9	10	11
12	13	14	15	16	17	18
19	20	21	22	23	24	25
26	27	28	29	30	31	

May 2024

Sunday	Monday	Tuesday	Wednesday
			1
5 Cinco De Mayo	6	7	8
12 Mother's Day	13	14	15
19	20	21	22
26	27 Memorial Day	28	29

" True happiness is to enjoy the present, without anxious dependence of the future."
- Lucius Annaeus Seneca

Thursday	Friday	Saturday	NOTES
2	3	4	
9	10	11	
16	17	18	
23	24	25	
30	31		

April 2024

S	M	T	W	T	F	S
	1	2	3	4	5	6
7	8	9	10	11	12	13
14	15	16	17	18	19	20
21	22	23	24	25	26	27
28	29	30				

June 2024

S	M	T	W	T	F	S
						1
2	3	4	5	6	7	8
9	10	11	12	13	14	15
16	17	18	19	20	21	22
23	24	25	26	27	28	29
30						

June 2024

Sunday	Monday	Tuesday	Wednesday
2	3	4	5
9	10	11	12
16	17	18	19
Father's Day			Juneteenth
23 / 30	24	25	26

Thursday	Friday	Saturday
		1
6	7	8
13	14	15
20	21	22
27	28	29

NOTES

_____
_____
_____
_____
_____
_____
_____
_____
_____
_____
_____
_____

May 2024

S	M	T	W	T	F	S
			1	2	3	4
5	6	7	8	9	10	11
12	13	14	15	16	17	18
19	20	21	22	23	24	25
26	27	28	29	30	31	

July 2024

S	M	T	W	T	F	S
	1	2	3	4	5	6
7	8	9	10	11	12	13
14	15	16	17	18	19	20
21	22	23	24	25	26	27
28	29	30	31			

Reflect

" Cultivate the habit of being grateful for every good thing that comes to you and to give thanks continuously. And because all things have contributed to your advancement, you should include all things in your gratitude. "

- Ralph Waldo Emerson

July 2024

Sunday	Monday	Tuesday	Wednesday
	1	2	3
7	8	9	10
14	15	16	17
21	22	23	24
28	29	30	31

> *" Every experience, no matter how bad it seems, holds within it a blessing of some kind. The goal is to find it."*   - Buddha

Thursday	Friday	Saturday	NOTES
4 Independence Day	5	6	_____ _____ _____ _____
11	12	13	_____ _____ _____
18	19	20	_____ _____ _____ _____
25	26	27	

June 2024

S	M	T	W	T	F	S
						1
2	3	4	5	6	7	8
9	10	11	12	13	14	15
16	17	18	19	20	21	22
23	24	25	26	27	28	29
30						

August 2024

S	M	T	W	T	F	S
				1	2	3
4	5	6	7	8	9	10
11	12	13	14	15	16	17
18	19	20	21	22	23	24
25	26	27	28	29	30	31

August 2024

Sunday	Monday	Tuesday	Wednesday
4	5	6	7
11	12	13	14
18	19	20	21
25	26	27	28

" It is difficult to find happiness within oneself, but it is impossible to find it anywhere else." - Arthur Schopenhauer

Thursday	Friday	Saturday	NOTES
1	2	3	
8	9	10	
15	16	17	
22	23	24	
29	30	31	

July 2024

S	M	T	W	T	F	S
	1	2	3	4	5	6
7	8	9	10	11	12	13
14	15	16	17	18	19	20
21	22	23	24	25	26	27
28	29	30	31			

September 2024

S	M	T	W	T	F	S
1	2	3	4	5	6	7
8	9	10	11	12	13	14
15	16	17	18	19	20	21
22	23	24	25	26	27	28
29	30					

September 2024

Sunday	Monday	Tuesday	Wednesday
1	2 Labor day	3	4
8	9	10	11
15	16	17	18
22	23	24	25
29	30		

" Happiness will never come to those who fail to appreciate what they already have."
- Buddha

Thursday	Friday	Saturday	NOTES
5	6	7	
12	13	14	
19	20	21	
26	27	28	

NOTES
_____
_____
_____
_____
_____
_____
_____
_____
_____
_____
_____
_____
_____

August 2024

S	M	T	W	T	F	S
				1	2	3
4	5	6	7	8	9	10
11	12	13	14	15	16	17
18	19	20	21	22	23	24
25	26	27	28	29	30	31

October 2024

S	M	T	W	T	F	S
		1	2	3	4	5
6	7	8	9	10	11	12
13	14	15	16	17	18	19
20	21	22	23	24	25	26
27	28	29	30	31		

October 2024

Sunday	Monday	Tuesday	Wednesday
		1	2
6	7	8	9
13	14 Columbus Day	15	16
20	21	22	23
27	28	29	30

Thursday	Friday	Saturday	NOTES
3	4	5	
10	11	12	
17	18	19	
24	25	26	
31 Halloween			

September 2024

S	M	T	W	T	F	S
1	2	3	4	5	6	7
8	9	10	11	12	13	14
15	16	17	18	19	20	21
22	23	24	25	26	27	28
29	30					

November 2024

S	M	T	W	T	F	S
					1	2
3	4	5	6	7	8	9
10	11	12	13	14	15	16
17	18	19	20	21	22	23
24	25	26	27	28	29	30

November 2024

Sunday	Monday	Tuesday	Wednesday
3	4	5	6
10	11 Veterans Day	12	13
17	18	19	20
24	25	26	27

" The good we do today becomes the happiness of tomorrow."
- William James

Thursday	Friday	Saturday
	1	2
7	8	9
14	15	16
21	22	23
28 Thanksgiving Day	29 Black Friday	30

NOTES

_____

_____

_____

_____

_____

_____

_____

_____

_____

_____

_____

_____

_____

October 2024

S	M	T	W	T	F	S
		1	2	3	4	5
6	7	8	9	10	11	12
13	14	15	16	17	18	19
20	21	22	23	24	25	26
27	28	29	30	31		

December 2024

S	M	T	W	T	F	S
1	2	3	4	5	6	7
8	9	10	11	12	13	14
15	16	17	18	19	20	21
22	23	24	25	26	27	28
29	30	31				

December 2024

Sunday	Monday	Tuesday	Wednesday
1	2	3	4
8	9	10	11
15	16	17	18
22	23	24 Christmas Eve	25 Christmas Day
29	30	31 New Year's Eve	

" Do not spoil what you have by desiring what you have not; remember that what you now have was once among the things you only hoped for." - Epicurus

Thursday	Friday	Saturday	NOTES
5	6	7	_____ _____ _____ _____
12	13	14	_____ _____ _____ _____
19	20	21	_____ _____ _____ _____
26	27	28	

November 2024

S	M	T	W	T	F	S
					1	2
3	4	5	6	7	8	9
10	11	12	13	14	15	16
17	18	19	20	21	22	23
24	25	26	27	28	29	30

January 2025

S	M	T	W	T	F	S
			1	2	3	4
5	6	7	8	9	10	11
12	13	14	15	16	17	18
19	20	21	22	23	24	25
26	27	28	29	30	31	

Reflect

" Carefully watch your thoughts, for they become your words. Manage and watch your words, for they will become your actions. Consider and judge your actions, for they have become your habits. Acknowledge and watch your habits, for they shall become your values. Understand and embrace your values, for they become your destiny. "

- Mahatma Gandhi

_____
_____
_____
_____
_____
_____
_____
_____
_____
_____
_____
_____
_____
_____

Year in Review

January 2025

S	M	T	W	T	F	S
			1	2	3	4
5	6	7	8	9	10	11
12	13	14	15	16	17	18
19	20	21	22	23	24	25
26	27	28	29	30	31	

◑:6 ○:13 ◐:21 ●:29

February 2025

S	M	T	W	T	F	S
						1
2	3	4	5	6	7	8
9	10	11	12	13	14	15
16	17	18	19	20	21	22
23	24	25	26	27	28	

◑:5 ○:12 ◐:20 ●:27

March 2025

S	M	T	W	T	F	S
						1
2	3	4	5	6	7	8
9	10	11	12	13	14	15
16	17	18	19	20	21	22
23	24	25	26	27	28	29
30	31					

◑:6 ○:14 ◐:22 ●:29

April 2025

S	M	T	W	T	F	S
		1	2	3	4	5
6	7	8	9	10	11	12
13	14	15	16	17	18	19
20	21	22	23	24	25	26
27	28	29	30			

◑:4 ○:12 ◐:20 ●:27

May 2025

S	M	T	W	T	F	S
				1	2	3
4	5	6	7	8	9	10
11	12	13	14	15	16	17
18	19	20	21	22	23	24
25	26	27	28	29	30	31

◑:4 ○:12 ◐:20 ●:26

June 2025

S	M	T	W	T	F	S
1	2	3	4	5	6	7
8	9	10	11	12	13	14
15	16	17	18	19	20	21
22	23	24	25	26	27	28
29	30					

◑:2 ○:11 ◐:18 ●:25

July 2025

S	M	T	W	T	F	S
		1	2	3	4	5
6	7	8	9	10	11	12
13	14	15	16	17	18	19
20	21	22	23	24	25	26
27	28	29	30	31		

◑:2 ○:10 ◐:17 ●:24

August 2025

S	M	T	W	T	F	S
					1	2
3	4	5	6	7	8	9
10	11	12	13	14	15	16
17	18	19	20	21	22	23
24	25	26	27	28	29	30
31						

◑:1 ○:9 ◐:16 ●:23 ◑:31

September 2025

S	M	T	W	T	F	S
	1	2	3	4	5	6
7	8	9	10	11	12	13
14	15	16	17	18	19	20
21	22	23	24	25	26	27
28	29	30				

○:7 ◐:14 ●:21 ◑:29

October 2025

S	M	T	W	T	F	S
			1	2	3	4
5	6	7	8	9	10	11
12	13	14	15	16	17	18
19	20	21	22	23	24	25
26	27	28	29	30	31	

○:6 ◐:13 ●:21 ◑:29

November 2025

S	M	T	W	T	F	S
						1
2	3	4	5	6	7	8
9	10	11	12	13	14	15
16	17	18	19	20	21	22
23	24	25	26	27	28	29
30						

○:5 ◐:12 ●:20 ◑:28

December 2025

S	M	T	W	T	F	S
	1	2	3	4	5	6
7	8	9	10	11	12	13
14	15	16	17	18	19	20
21	22	23	24	25	26	27
28	29	30	31			

○:4 ◐:11 ●:19 ◑:27

Holidays & Celebrations

Jan 1	New Year's Day
Jan 2	Last Day of Chanukah
Jan 13	Stephen Foster Memorial Day
Jan 20	Inauguration Day (DC, MD (partly), VA (partly))
Jan 20	Martin Luther King Jr. Day
Jan 27	Isra and Mi'raj
Jan 29	Lunar New Year
Feb 1	First Day of Black History Month
Feb 1	National Freedom Day
Feb 2	Groundhog Day
Feb 5	National Girls and Women in Sports Day
Feb 14	Valentine's Day
Feb 17	Presidents' Day
Feb 25	Maha Shivaratri
Mar 1	First Day of Irish American Heritage Month
Mar 1	First Day of Ramadan
Mar 1	First Day of Women's History Month
Mar 4	Shrove Tuesday/Mardi Gras
Mar 14	Holi
Mar 17	St. Patrick's Day
Mar 26	Lailat al-Qadr
Mar 29	National Vietnam War Veterans Day
Mar 30	Doctors' Day
Mar 31	Eid al-Fitr
Apr 12	Passover Eve
Apr 13	Passover (first day)
Apr 13	Thomas Jefferson's Birthday
Apr 15	Tax Day
Apr 18	Good Friday (Many regions)
Apr 20	Easter Sunday
Apr 20	Last Day of Passover
Apr 21	Easter Monday
Apr 24	Take our Daughters and Sons to Work Day
May 1	First Day of Asian Pacific American Heritage Month

May 1	First Day of Jewish American Heritage Month
May 1	First Day of Military Appreciation Month
May 1	Law Day
May 1	Loyalty Day
May 1	National Day of Prayer
May 5	Cinco de Mayo
May 8	Victory in Europe Day
May 11	Mother's Day
May 15	Peace Officers Memorial Day
May 16	National Defense Transportation Day
May 17	Armed Forces Day
May 22	National Maritime Day
May 26	Memorial Day
Jun 1	First Day of Caribbean-American Heritage Month
Jun 1	First Day of Pride Month
Jun 6	D-Day
Jun 7	Eid al-Adha
Jun 12	Loving Day
Jun 14	Flag Day
Jun 15	Father's Day
Jun 19	Juneteenth
Jun 19	Juneteenth (West Virginia)
Jun 19	Juneteenth Independence Day
Jun 20	American Eagle Day
Jun 27	Muharram
Jul 4	Independence Day
Jul 6	Ashura
Jul 27	National Korean War Veterans Armistice Day
Jul 27	Parents' Day
Aug 7	Purple Heart Day
Aug 8	Raksha Bandhan
Aug 19	National Aviation Day
Aug 26	Ganesh Chaturthi
Sep 1	Labor Day
Sep 5	The Prophet's Birthday

Sep 6	Carl Garner Federal Lands Cleanup Day
Sep 7	National Grandparents Day
Sep 11	Patriot Day
Sep 15	First Day of National Hispanic Heritage Month
Sep 17	Constitution Day and Citizenship Day
Sep 19	National POW/MIA Recognition Day
Sep 22	Navratri
Sep 23	Rosh Hashana
Sep 27	National Public Lands Day
Sep 28	Gold Star Mother's Day
Oct 2	Dussehra
Oct 2	Yom Kippur
Oct 6	Child Health Day
Oct 6	German American Day
Oct 13	Columbus Day
Oct 13	Last Day of Sukkot
Oct 15	White Cane Safety Day
Oct 20	Diwali/Deepavali
Oct 31	Halloween
Nov 1	First Day of Native American Heritage Month
Nov 4	Election Day
Nov 11	Veterans Day
Nov 27	Thanksgiving Day
Nov 28	Black Friday
Nov 28	Native American Heritage Day
Dec 1	Cyber Monday
Dec 7	Pearl Harbor Remembrance Day
Dec 15	Bill of Rights Day
Dec 15	Chanukah/Hanukkah (first day)
Dec 17	Pan American Aviation Day
Dec 17	Wright Brothers Day
Dec 22	Last Day of Chanukah
Dec 24	Christmas Eve
Dec 25	Christmas Day
Dec 25	Christmas Day (All)
Dec 31	New Year's Eve

Important Dates

January 2025

_____ _____
_____ _____
_____ _____
_____ _____
_____ _____
_____ _____

February 2025

_____ _____
_____ _____
_____ _____
_____ _____
_____ _____
_____ _____

March 2025

_____ _____
_____ _____
_____ _____
_____ _____
_____ _____
_____ _____

April 2025

_____ _____
_____ _____
_____ _____
_____ _____
_____ _____
_____ _____

May 2025

_____ _____
_____ _____
_____ _____
_____ _____
_____ _____
_____ _____

June 2025

_____ _____
_____ _____
_____ _____
_____ _____
_____ _____
_____ _____

July 2025

_____ _____
_____ _____
_____ _____
_____ _____
_____ _____
_____ _____

August 2025

_____ _____
_____ _____
_____ _____
_____ _____
_____ _____
_____ _____

September 2025

_____ _____
_____ _____
_____ _____
_____ _____
_____ _____
_____ _____

October 2025

_____ _____
_____ _____
_____ _____
_____ _____
_____ _____
_____ _____

November 2025

_____ _____
_____ _____
_____ _____
_____ _____
_____ _____
_____ _____

December 2025

_____ _____
_____ _____
_____ _____
_____ _____
_____ _____
_____ _____

January 2025

Sunday	Monday	Tuesday	Wednesday
			1 *New Year's Day*
5	6	7	8
12	13	14	15
19	20 Martin Luther King Jr. Day	21	22
26	27	28	29

" The achievement of one goal should be the starting point of another."
- Alexander Graham Bell

Thursday	Friday	Saturday	NOTES
2	3	4	_____
9	10	11	_____
16	17	18	_____
23	24	25	
30	31		

December 2024

S	M	T	W	T	F	S
1	2	3	4	5	6	7
8	9	10	11	12	13	14
15	16	17	18	19	20	21
22	23	24	25	26	27	28
29	30	31				

February 2025

S	M	T	W	T	F	S
						1
2	3	4	5	6	7	8
9	10	11	12	13	14	15
16	17	18	19	20	21	22
23	24	25	26	27	28	

February 2025

Sunday	Monday	Tuesday	Wednesday
2	3	4	5
9	10	11	12
16	17 President's Day	18	19
23	24	25	26

" Age is an issue of mind over matter.
If you don't mind, it doesn't matter. "   - Mark Twain

Thursday	Friday	Saturday
		1
6	7	8
13	14	15
	Valentine's Day	
20	21	22
27	28	

NOTES

_____
_____
_____
_____
_____
_____
_____
_____
_____
_____
_____
_____
_____

January 2025

S	M	T	W	T	F	S
			1	2	3	4
5	6	7	8	9	10	11
12	13	14	15	16	17	18
19	20	21	22	23	24	25
26	27	28	29	30	31	

March 2025

S	M	T	W	T	F	S
						1
2	3	4	5	6	7	8
9	10	11	12	13	14	15
16	17	18	19	20	21	22
23	24	25	26	27	28	29
30	31					

March 2025

Sunday	Monday	Tuesday	Wednesday
2	3	4	5
9	10	11	12
16	17	18	19
23 / 30	St Patrick's Day 24 / 31	25	26

" Throw off your worries when you throw off your clothes at night. "
- Napoleon Bonaparte

Thursday	Friday	Saturday	NOTES
		1	_____
6	7	8	_____
13	14	15	_____
20	21	22	
27	28	29	

February 2025

S	M	T	W	T	F	S
						1
2	3	4	5	6	7	8
9	10	11	12	13	14	15
16	17	18	19	20	21	22
23	24	25	26	27	28	

April 2025

S	M	T	W	T	F	S
		1	2	3	4	5
6	7	8	9	10	11	12
13	14	15	16	17	18	19
20	21	22	23	24	25	26
27	28	29	30			

April 2025

Sunday	Monday	Tuesday	Wednesday
		1	2
6	7	8	9
13	14	15 Tax Day	16
20 Easter Sunday	21	22	23
27	28	29	30

" As long as you live, keep learning how to live. "
- Lucius Annaeus Seneca

Thursday	Friday	Saturday
3	4	5
10	11	12
17	18	19
24	25	26

NOTES

_____

_____

_____

_____

_____

_____

_____

_____

_____

_____

_____

_____

March 2025

S	M	T	W	T	F	S
						1
2	3	4	5	6	7	8
9	10	11	12	13	14	15
16	17	18	19	20	21	22
23	24	25	26	27	28	29
30	31					

May 2025

S	M	T	W	T	F	S
				1	2	3
4	5	6	7	8	9	10
11	12	13	14	15	16	17
18	19	20	21	22	23	24
25	26	27	28	29	30	31

May 2025

Sunday	Monday	Tuesday	Wednesday
4	5 Cinco De Mayo	6	7
11 Mother's Day	12	13	14
18	19	20	21
25	26 Memorial Day	27	28

" Never trouble another for what you can do yourself. "
- Thomas Jefferson

Thursday	Friday	Saturday	NOTES
1	2	3	_____
			_____
			_____
8	9	10	_____
			_____
			_____
15	16	17	_____
			_____
			_____
22	23	24	
29	30	31	

April 2025

S	M	T	W	T	F	S
		1	2	3	4	5
6	7	8	9	10	11	12
13	14	15	16	17	18	19
20	21	22	23	24	25	26
27	28	29	30			

June 2025

S	M	T	W	T	F	S
1	2	3	4	5	6	7
8	9	10	11	12	13	14
15	16	17	18	19	20	21
22	23	24	25	26	27	28
29	30					

June 2025

Sunday	Monday	Tuesday	Wednesday
1	2	3	4
8	9	10	11
15 Father's Day	16	17	18
22	23	24	25
29	30		

" Live as if you were to die tomorrow.
Learn as if you were to live forever.. " - Mahatma Gandhi

Thursday	Friday	Saturday	NOTES
5	6	7	
12	13	14	
19	20	21	
Juneteenth			
26	27	28	

_____
_____
_____
_____
_____
_____
_____
_____
_____
_____
_____
_____
_____

May 2025

S	M	T	W	T	F	S
				1	2	3
4	5	6	7	8	9	10
11	12	13	14	15	16	17
18	19	20	21	22	23	24
25	26	27	28	29	30	31

July 2025

S	M	T	W	T	F	S
		1	2	3	4	5
6	7	8	9	10	11	12
13	14	15	16	17	18	19
20	21	22	23	24	25	26
27	28	29	30	31		

Reflect

" When you get into a tight place and everything goes against you, till it seems as though you could not hang on a minute longer, never give up then, for that is just the place and time that the tide will turn. "

- Mahatma Gandhi

_____
_____
_____
_____
_____
_____
_____
_____
_____
_____
_____
_____
_____
_____
_____
_____
_____
_____

July 2025

Sunday	Monday	Tuesday	Wednesday
		1	2
6	7	8	9
13	14	15	16
20	21	22	23
27	28	29	30

Thursday	Friday	Saturday
3	4	5
	Independence Day	
10	11	12
17	18	19
24	25	26
31		

NOTES

_____

_____

_____

_____

_____

_____

_____

_____

_____

_____

_____

June 2025

S	M	T	W	T	F	S
1	2	3	4	5	6	7
8	9	10	11	12	13	14
15	16	17	18	19	20	21
22	23	24	25	26	27	28
29	30					

August 2025

S	M	T	W	T	F	S
					1	2
3	4	5	6	7	8	9
10	11	12	13	14	15	16
17	18	19	20	21	22	23
24	25	26	27	28	29	30
31						

August 2025

Sunday	Monday	Tuesday	Wednesday
3	4	5	6
10	11	12	13
17	18	19	20
24 / 31	25	26	27

" Do not dwell in the past, do not dream of the future, concentrate the mind on the present moment."   - Buddha

Thursday	Friday	Saturday	NOTES
	1	2	
7	8	9	
14	15	16	
21	22	23	
28	29	30	

July 2025

S	M	T	W	T	F	S
		1	2	3	4	5
6	7	8	9	10	11	12
13	14	15	16	17	18	19
20	21	22	23	24	25	26
27	28	29	30	31		

September 2025

S	M	T	W	T	F	S
	1	2	3	4	5	6
7	8	9	10	11	12	13
14	15	16	17	18	19	20
21	22	23	24	25	26	27
28	29	30				

September 2025

Sunday	Monday	Tuesday	Wednesday
	1 Labor Day	2	3
7	8	9	10
14	15	16	17
21	22	23	24
28	29	30	

" Life is a dream for the wise, a game for the fool, a comedy for the rich, a tragedy for the poor." - Sholom Aleichem

Thursday	Friday	Saturday	NOTES
4	5	6	_____
			_____
			_____
11	12	13	_____
			_____
			_____
18	19	20	_____
			_____
			_____
25	26	27	

August 2025

S	M	T	W	T	F	S
					1	2
3	4	5	6	7	8	9
10	11	12	13	14	15	16
17	18	19	20	21	22	23
24	25	26	27	28	29	30
31						

October 2025

S	M	T	W	T	F	S
			1	2	3	4
5	6	7	8	9	10	11
12	13	14	15	16	17	18
19	20	21	22	23	24	25
26	27	28	29	30	31	

October 2025

Sunday	Monday	Tuesday	Wednesday
			1
5	6	7	8
12	13 Columbus Day	14	15
19	20	21	22
26	27	28	29

" Some people come in our life as blessings.
Some come in your life as lessons." — Mother Teresa

Thursday	Friday	Saturday	NOTES
2	3	4	_____
			_____
9	10	11	_____
			_____
16	17	18	_____
			_____
23	24	25	_____
30	31		
	Halloween		

September 2025

S	M	T	W	T	F	S
	1	2	3	4	5	6
7	8	9	10	11	12	13
14	15	16	17	18	19	20
21	22	23	24	25	26	27
28	29	30				

November 2025

S	M	T	W	T	F	S
						1
2	3	4	5	6	7	8
9	10	11	12	13	14	15
16	17	18	19	20	21	22
23	24	25	26	27	28	29
30						

November 2025

Sunday	Monday	Tuesday	Wednesday
2	3	4	5
9	10	11 Veterans Day	12
16	17	18	19
23 30	24	25	26

" Do not allow yourselves to be disheartened by any failure
as long as you have done your best."   - Mother Teresa

Thursday	Friday	Saturday	NOTES
		1	_____
			_____
			_____
			_____
6	7	8	_____
			_____
			_____
			_____
13	14	15	_____
			_____
			_____
			_____
20	21	22	
27	28	29	
Thanksgiving Day	Black Friday		

October 2025

S	M	T	W	T	F	S
			1	2	3	4
5	6	7	8	9	10	11
12	13	14	15	16	17	18
19	20	21	22	23	24	25
26	27	28	29	30	31	

December 2025

S	M	T	W	T	F	S
	1	2	3	4	5	6
7	8	9	10	11	12	13
14	15	16	17	18	19	20
21	22	23	24	25	26	27
28	29	30	31			

December 2025

Sunday	Monday	Tuesday	Wednesday
	1	2	3
7	8	9	10
14	15	16	17
21	22	23	24 *Christmas Eve*
28	29	30	31 *New Year's Eve*

" When one door closes, another opens; but we often look so long and so regretfully upon the closed door that we do not see the one that has opened for us."

- Alexander Graham Bell

Thursday	Friday	Saturday
4	5	6
11	12	13
18	19	20
25 Christmas Day	26	27

NOTES

_____
_____
_____
_____
_____
_____
_____
_____
_____
_____
_____
_____
_____

November 2025

S	M	T	W	T	F	S
						1
2	3	4	5	6	7	8
9	10	11	12	13	14	15
16	17	18	19	20	21	22
23	24	25	26	27	28	29
30						

January 2026

S	M	T	W	T	F	S
				1	2	3
4	5	6	7	8	9	10
11	12	13	14	15	16	17
18	19	20	21	22	23	24
25	26	27	28	29	30	31

Reflect

"You can search throughout the entire universe for someone who is more deserving of your love and affection than you are yourself, and that person is not to be found anywhere. You yourself, as much as anybody in the entire universe deserve your love and affection."
- Buddha

_____
_____
_____
_____
_____
_____
_____
_____
_____
_____
_____
_____
_____

A Favor Please

Would you take a quick minute to leave us a rating/review on Amazon? It makes a HUGE difference and we would really appreciate it!

Made in United States
Orlando, FL
16 August 2023